Le cochon glouton

◀ Le cochon a de petits yeux. Il voit moins bien que l'homme.

▼ Lorsqu'il ouvre la bouche, il donne l'impression de sourire.

Un cochon grassouillet

De minuscules yeux et de grandes oreilles.

De courtes pattes et une queue en tire-bouchon.

Un corps gras et rose.

Ne le trouves-tu pas comique ?

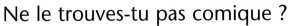

Les courtes pattes doivent supporter tout le poids du corps.

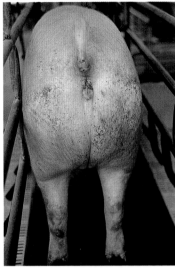

▲ Des fesses charnues

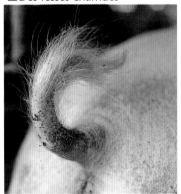

▲ Et une queue en tire-bouchon.

▲ Le nez du cochon est plat. Il sert à fouiller le sol.

▲ Le cochon est un artiodactyle.

▲ Chaque patte est pourvue de quatre orteils.

◀ ▼ À la soupe !

Un ventre affamé

Dès qu'une personne pénètre dans la porcherie, les cochons pensent qu'il est l'heure de manger. Ils grognent de faim. Les cochons sont de véritables gloutons. Ils avalent tout ce qu'ils trouvent, précipitamment et bruyamment, comme s'ils craignaient qu'on leur vole leur nourriture.

▼ Miam, miam, miam !

▲ ▼ Dépêche-toi, nous sommes affamés !

▲ L'eau du robinet désaltère parfaitement.

▲ À l'extérieur, les cochons se nourrissent de diverses plantes.

▲ J'ai enfin trouvé une position confortable.

▼ Les cochons adorent se coucher contre un mur.

Manger et dormir

Lorsqu'ils ont avalé toute leur nourriture, les cochons n'ont plus rien à faire.
S'ils vivaient en plein air, ils feraient une promenade digestive. Mais l'espace de la porcherie est vraiment limité.
Par conséquent, ils vont dormir.
Contre le mur ou l'un contre l'autre.

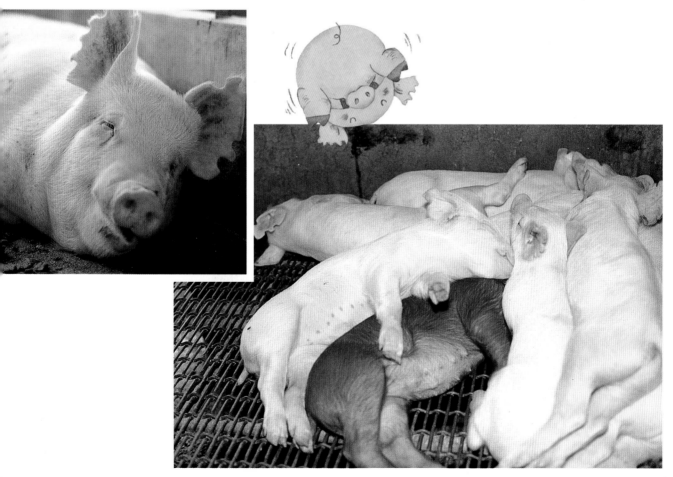

▲ Ou les uns contre ou sur les autres.

▲ Rien n'est plus rafraîchissant qu'une bonne douche.

▲ Dis donc, ne m'oublie pas !

▲ Lorsqu'il fait très chaud, le ventilateur apporte peu de fraîcheur.

Il fait trop chaud !

Les cochons détestent la chaleur.
Lorsqu'il fait chaud, ils deviennent
très paresseux.
Ils adorent se vautrer dans la boue.
Ou prendre une douche pour
se nettoyer et se rafraîchir.

▲ Les cochons ne possèdent pas de glandes sudoripares :
ils ne transpirent pas et ne peuvent donc pas se refroidir.

▲ Une fraîcheur bienfaisante !

▼ Je vais te mordre jusqu'à ce que tu acceptes ma domination !

◀ Je ne reconnais pas ton odeur : tu n'es pas mon ami.

▼ Je vais te mordre !

Qui est le chef ?

Comme tous les jeunes animaux, les porcelets adorent jouer et se bagarrer. Ils se mordent la tête, les oreilles et la queue. Ce n'est pas une lutte à la vie ou à la mort.

Ils veulent simplement savoir qui est le plus fort. Parce que c'est toujours le plus fort qui est le chef.

▲ À présent, je sais que je suis le plus fort.

▲ Deux contre un ? Vous trichez !

▲▼ Le verrat rend une visite à la truie.

▼ Combien d'enfants voulez-vous, ma chère ?

Des naissances en vue

Si un éleveur veut avoir des petits, il met un mâle en présence d'une femelle. Le mâle du cochon s'appelle le verrat et la femelle, la truie.
Le verrat et la truie s'accouplent.

◀ Voilà le futur papa.

▼ Voilà la future maman.

Après l'accouplement, la femelle est pleine. Entre 10 et 14 porcelets grandissent dans son ventre. Environ 16 semaines plus tard, les porcelets voient le jour.

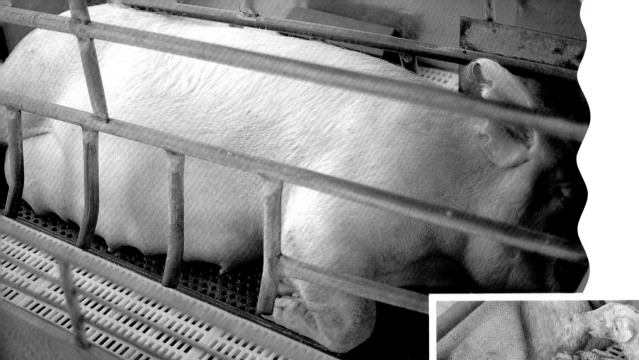

▲ Avant la mise bas, la truie est placée dans une cage spéciale afin qu'elle ne puisse pas écraser sa progéniture.

La naissance

▲ Ces porcelets viennent de naître : ils sont encore mouillés.

Les porcelets viennent de naître. Leurs yeux sont encore fermés. Ils ne voient rien. Mais ils ne sont pas totalement sans défense. Quelques minutes après la naissance, ils marchent déjà. Ils partent maladroitement à la recherche d'une mamelle, parce qu'ils savent qu'ils y trouveront du lait.

▼ Les porcelets dorment beaucoup.

Les petits yeux sont encore fermés. Le groin pointe vers les mamelles de la truie.

▲ Les mamelles situées à l'avant du corps donnent plus de lait que les mamelles situées à l'arrière.

▲ Les yeux s'ouvrent une semaine plus tard.

▲ Chaque porcelet a son propre téton. Il est donc inutile de se battre.

▲ À l'attaque !

Les porcelets grandissent

Lorsque les porcelets sont encore
petits, ils boivent toutes les
heures. Entre deux tétées,
ils dorment. Mais ils grandissent
très vite. Quatre ou cinq semaines plus
tard, ils peuvent déjà se passer de lait
maternel. Ils reçoivent alors de la nourriture
solide. Une quinzaine de semaines plus
tard, ils dépassent déjà les cinquante kilos.

▼ Les porcelets dorment les uns contre les autres. Ils ont bien chaud.

▼ Les porcelets reçoivent de la nourriture.

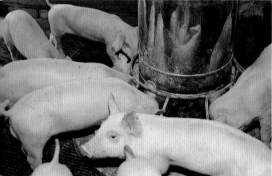

▲ Il existe des races porcines noires.

▼ Ces porcelets n'ont plus besoin de leur maman. Ils peuvent rejoindre une autre porcherie.

▲ Les porcelets sont d'une curiosité maladive.

Les différentes races porcines

Il existe plusieurs races porcines. Elles se ressemblent toutes. Certaines races ont les oreilles droites, d'autres ont les oreilles tombantes. Certaines races sont recouvertes d'un duvet rose, d'autres sont noires ou tachetées.

▲ Un cochon aux oreilles tombantes

▲ Un cochon à la peau blanche

▲ Un cochon aux oreilles droites

▲ Un cochon à la robe rayée

Le cochon est un animal domestique.
On l'élève depuis longtemps pour la
saveur de sa chair. Le sanglier est
l'ancêtre du cochon domestique.

Le sanglier fouille le sol à l'aide de son groin.

Le sanglier

On rencontre le sanglier dans certaines forêts. Ce cochon sauvage est recouvert d'une épaisse fourrure hirsute. Il est pourvu d'un long museau et de courtes oreilles droites. Le mâle se reconnaît facilement à ses défenses.
Le sanglier est souvent infesté de parasites. Pour s'en débarrasser, il se vautre dans la boue.

▲ Batifoler dans la boue

▲ Les défenses servent au combat et à fouiller le sol.

▲ Le bain de boue a un effet rafraîchissant.

▲ Le sanglier diffère du cochon domestique : son groin est plus allongé et ses oreilles sont plus petites.

▲ Les marcassins ont le pelage strié.

La famille sanglier

Chaque année, maman sanglier met bas 3 à
12 marcassins.
Elle les allaite durant deux mois.
Ensuite, les petits doivent se débrouiller pour
trouver leur propre nourriture :
racines, tubercules, glands, noisettes, souris
et larves d'insectes figurent au menu.

▼ Maman caresse les petits de son groin.

▲ Ces petites feuilles vertes sont-elles comestibles ?

▲ Les marcassins restent à proximité de leur maman.

▲ La robe striée est un camouflage parfait. Ces stries disparaissent à l'âge de six mois.

▲ Les marcassins organisent souvent des simulacres de combat.